QUÉBEC/AMÉRIQUE • JEUNESSE

COLLECTION
CLiP

Dirigée par Anne-Marie Aubin

Ta blonde Josie
janvier 93

LE LAC
DISPARU

DU MÊME AUTEUR

J'ai besoin de personne, Montréal, Éditions Québec/Amérique, 1987.

Le Secret d'Ève, Montréal, Éditions Québec/Amérique, 1990.

Le Choix d'Ève, Montréal, Éditions Québec/Amérique, 1991.

«Moé pis Catou» dans *La Première fois* (tome 1), Québec/Amérique, Montréal, 1991.

LE LAC DISPARU

8

CONTES DONT JE SUIS LE HÉROS
DIRIGÉ PAR **REYNALD CANTIN**

ÉDITIONS QUÉBEC/AMÉRIQUE

425, rue Saint-Jean-Baptiste,
Montréal, Québec H2Y 2Z7
(514) 393-1450

Données de catalogage avant publication (Canada)

Cantin, Reynald

Le Lac disparu

(Collection Clip ; 8)
Pour adolescents.

ISBN 2-89037-597-8

I. Titre. II. Collection.

PS8555.A5547L32 1992 jC843'.54 C92-096904-6
PS9555.A5547L32 1992
PZ23.C36La 1992

DÉPÔT LÉGAL: 4e TRIMESTRE 1992
BIBLIOTHÈQUE NATIONALE DU QUÉBEC
BIBLIOTHÈQUE NATIONALE DU CANADA

Montage
Andréa Joseph

Aux jeunes lecteurs...

Imagine...

Printemps 91. C'est le retour du congé de Pâques à la polyvalente de Loretteville. Dans le cœur des élèves de troisième du secondaire, c'est déjà la fin de l'année. Le professeur de français est un peu inquiet. Il doit faire écrire un conte.

Heureusement, il a sa petite idée. Alors, il lance:

«Ça vous tenterait de devenir des héros?»

Un silence s'installe.

«La mission serait d'écrire un *conte dont je suis le héros*!»

Le silence s'intensifie. Le professeur en profite:

«Vous choisiriez votre sujet. Mais chaque épisode devra être écrit en moins de deux jours! Au présent et à la première personne! Et le "je" dans le conte... eh bien, ce sera chacun de vous!»

Inquiétudes. Questions. Objections. Explications.

Finalement, malgré les conditions imposées par le professeur, la classe accepte. Elle relève le défi et se lance dans l'aventure. Six semaines plus tard, mission accomplie! Le groupe FRA 316-04 a terminé la première édition de «son» œuvre, *Le Lac disparu*.

Et aujourd'hui, voilà que l'étonnante collection Clip de Québec/Amérique t'offre cette aventure, telle qu'elle a été écrite par 31 élèves de 14-15 ans. C'est l'histoire d'un jeune héros, Fabaldin, qui s'enfonce dans un labyrinthe maléfique à la recherche d'une potion magique afin de faire revenir l'eau et la paix dans son pays.

Et toi, si tu veux «vivre» cette aventure, tu n'as qu'à tourner la page.

Aussitôt, par la magie de l'imagination, tu deviendras Fabaldin lui-même, et tu seras entraîné dans 35 épisodes plus captivants les uns que les autres.

Mais sois prudent! Ce conte est aussi un labyrinthe maléfique. Au bout de chaque épisode, tu peux trouver l'échec, marqué d'un détestable point noir (•). Ou un choix à faire.

Sache que sur 18 chemins possibles, un seul mène à la victoire du héros... Ta victoire!

Il faudra te servir de ton intuition... et avoir la trempe et la patience d'un héros.

Alors bon courage, Fabaldin!

Et bonne route!

Reynald

1

Il y a fort fort longtemps, dans un vieux monde hors de la réalité, habitait un peuple amical. Le pays, qui ne s'étendait pas sur plusieurs kilomètres, était entouré d'eau. Les trois seules villes de ce pays formaient un triangle, et au centre de ce triangle, il y avait un lac magnifique. L'eau y reposant était très claire et miroitante. Aussi de multiples merveilleux poissons y baignaient.

Or, un jour, les trois rois qui régnaient sur les trois villes entendirent parler des splendeurs de ce lac si envoûtant. Tous trois, désirant se l'approprier, se disputèrent.

Ce qui suivit fut une longue guerre qui dura trois années.

Le Dieu de l'eau, fatigué de cette bataille, fit disparaître toute l'eau du pays. Ensuite, à l'endroit où se trouvait le lac, il fit mettre un immense labyrinthe rempli de pièges maléfiques. À l'intérieur, au centre, il plaça une potion magique ayant le pouvoir de faire revenir l'eau...

Pendant dix-huit ans, chaque année, on envoya un garçon à l'intérieur du labyrinthe. Personne n'en ressortait.

C'est devenu une coutume maintenant.

Mes dix-huit ans, je les ai aujourd'hui même. J'en suis fier. Lorsque je me suis levé ce matin, j'ai pris mon déjeuner et je suis sorti après que mon père et ma mère m'eurent souhaité bonne fête.

À peine ai-je mis le pied dehors

que je me retrouve face à un grand homme à barbe blanche. Je remarque tout de suite sa longue toge bleue ornée d'étoiles et brodée de couleur jaune. Il me dit, après un instant:

— Tu as l'air assez brave, mon garçon. Tu as une bonne stature. Ton nom est bien Fabaldin, n'est-ce pas?

— Oui.

Je lui réponds poliment.

— Moi, c'est Trenthor. Je suis le Réquisitionneur. Tu as été choisi pour aller affronter les dangers du grand labyrinthe.

Cette dernière phrase dite par le Réquisitionneur me glace le sang. Je pense un instant à fuir, bien que je ne le puisse pas. Je dois malheureusement m'abandonner au sort qui m'assaille.

Le Réquisitionneur m'a donné une heure.

Je fais mes bagages et mes adieux. Puis je le retrouve et le suis.

En partant, je suis un peu triste, mais mon courage me rappelle que je ne suis pas encore mort. Je dois lutter et ne pas me laisser abattre par la tristesse.

Une heure plus tard, après avoir reçu la bénédiction de l'évêque et avoir été proclamé chevalier, je pars à l'aventure vers le labyrinthe, encouragé par les cris du peuple qui se tait au fur et à mesure que je disparais dans le grand couloir d'entrée.

Bientôt j'aperçois une crevasse dans le mur de gauche. Vais-je l'emprunter (je me rends au **23**) ou continuer mon chemin tout droit (je me rends au **10**)?

2

Ma décision n'a pas été longue à prendre. Dès que je me suis mis en position de sommeil, mes yeux se sont fermés d'un coup.

Me voilà en train de rêver à mon amie. Elle était si belle et j'étais si bien.

Maintenant je rêve à la grenouille, à l'elfe et au vieux à la barbe blanche.

Soudain, je suis réveillé par le bruit de centaines de rats qui attendent de l'autre côté du précipice pour manger le vieil homme et, qui sait, peut-être moi. Après réflexion, je lance le cadavre du vieil homme de l'autre côté et les rats le mangent immédiatement. Puis je vois une lueur bleue sortir de son corps. C'est son âme!

La lueur va chercher des ailes et les dépose à côté de moi. En même temps, elle me fait signe de ne pas prendre la potion, que je ne prends pas. Elle me fait signe de la suivre. Je mets les ailes qu'elle m'a données et je la suis. Nous arrivons à un endroit inexploré. L'âme du vieillard disparaît et les ailes aussi. La lueur vient de me perdre dans le grand labyrinthe.

Alors, afin de me situer, je repense à ce que j'ai vu de là-haut. Je dois retrouver la potion magique. Mais en cherchant mon chemin, je me perds.

Marchant à tâtons, je me retrouve dans un endroit où il y a tellement de potions magiques que je ne sais plus laquelle prendre.

Alors je décide d'ouvrir la rouge. Quand je retire le bouchon, trois lueurs rouges sortent de la bouteille. Je sens aussitôt le maléfice de la potion. Elle veut me tuer! À peine ai-je le temps de chercher une solution qu'il est trop tard. Je me retrouve dans le sommeil éternel de la mort. •

3

Je décide de lui donner la bouteille qui renferme le précieux liquide qui peut faire revenir l'eau dans le pays.

— Halte! Pas un pas de plus! me dit-il avec une voix sinistre.

Un garde s'empare avec force de la fiole et redescend dans le puits de lumière pour aller remettre la potion magique à sa place.

— Pourquoi faites-vous cela?

— Si quelqu'un parvient à faire revenir l'eau dans ce pays, moi et mes hommes perdrons nos places auprès du gouvernement.

— Mais vous pourriez aussi bien détruire la fiole vous-même.

— Nous serions, nous aussi, détruits car le Dieu de l'eau a donné un sortilège à cette fiole. Quiconque ose la détruire sera détruit, lui et tout le monde de la planète.

— Vous êtes un bandit!

— Mmm... oui... si on veut... Conduisez monsieur dans la cellule où l'on ne vieillit jamais.

Deux hommes me prennent par les bras et me tirent vers un couloir dont je ne vois pas la fin. J'ai peut-être une chance de m'évader.

Quelques minutes plus tard, je vois une sorte de fenêtre dissimulée sous des toiles d'araignée. Voilà ma chance! Hop! Je saute dans la fenêtre...

Mais que m'arrive-t-il? Je me retrouve dans le vide total, comme si j'étais suspendu dans les airs et que je ne tombais pas.

— Au secours!

Je suis tombé dans un trou sans fond et je vais rester suspendu dans les airs. Je vais me décomposer sur place. •

4

Je saute dans le trou et me retrouve dans une pièce sombre à l'allure sinistre. Dans la pénombre, j'aperçois une silhouette d'apparence humaine. Pris de stupeur, je recule de quelques pas. Lorsque mes yeux se sont habitués à la pénombre, je vois très bien au fond de la pièce. Une cellule!

La cellule est pleine d'hommes et de jeunes hommes. Tout à coup, quelqu'un parle, brisant ainsi le macabre silence:

— N'aie pas peur! Nous pouvons t'aider si tu veux. Nous sommes tous ceux qui ont été choisis par le Réquisitionneur durant les dix-huit dernières années pour trouver la potion magique et faire revenir l'eau dans le pays. Malheureusement nous avons échoué et c'est pourquoi nous sommes ici. Si tu le désires, nous pourrons t'aider à poursuivre ta mission. En t'instruisant de nos connaissances acquises durant nos aventures, tu pourras plus facilement arriver à tes fins.

Mais l'homme poursuit ainsi:

— Par contre, tu as encore le choix. Derrière toi se trouve une porte secrète. Tu n'as qu'à appuyer sur la dernière pierre du mur, en bas à gauche, et une porte s'ouvrira. Tu n'auras ensuite qu'à poursuivre ton chemin. Mais tu peux également écouter nos précieux conseils...

Dois-je écouter ces malheureux (je me rends au **29**) ou utiliser la porte secrète (je me rends au **30**)?

5

Terrifié par les enchantements de cette grenouille malfaisante, je m'enfuis. Les longs cheveux qui me serrent la gorge m'étouffent, ce qui me fait ralentir. Par bonheur, le long chemin bifurque vers l'est et, comme par enchantement, le sort prend fin. Mes cheveux se détachent doucement et mon souffle reprend sa vigueur.

Mais le couloir se rétrécit. Je dois désormais avancer de biais, le visage face à la paroi du mur. Un moment après, un mince rayon lumineux naît dans la pénombre. Je m'y dirige. L'emplacement coïncide avec la fin du couloir. La lumière provient des failles d'une trappe encastrée dans le sol. N'ayant d'autre choix, je décide de l'ouvrir.

À ma grande stupéfaction, cette lumière est émise par un minuscule être ailé. Un elfe. La créature enchantée s'empresse de sortir, puis m'adresse la parole.

— Brave chevalier, tu as posé le bon geste. En récompense, je te fais le présent que voici.

Gracieusement, il déploie son bras en direction du mur nord. Aussi impossible que cela puisse paraître, une porte s'y dessine magiquement.

J'en franchis le seuil, et m'apparaît un court couloir menant à une jonction. Irai-je du côté gauche (je me rends à **28**) ou du côté droit (je me rends à **7**)?

6

J'ai pris ma décision. D'un pas agressif, je prends la planche. Mais je me demande si j'ai fait le bon choix. Cette planche ne me dit rien qui vaille. On dirait qu'elle va tomber en miettes. L'un des bouts est pourri. Malgré ces pensées, je ne reviens pas sur mon choix.

Je dépose la planche de façon que je puisse marcher dessus pour traverser de l'autre côté du précipice. Moi qui ai le vertige!

Après quelques pas, je me retrouve au centre du précipice. Je ne veux pas regarder en bas, mais la tentation est trop forte. Effrayé, je fais un grand pas pour me rapprocher de l'autre côté. CRAC! Le côté pourri de la planche commence à céder...

Je fais un petit pas et la planche tombe dans le vide...

Mais je réussis à m'agripper au bord du précipice. Malgré mes efforts, je crois que je ne tiendrai pas longtemps. Je regarde en haut et prie le Seigneur! Par miracle, un homme que je ne connais pas vient me porter secours. Avec une force incroyable, il me soulève et me dépose à côté de lui. Il est vieux, extrêmement vieux. Il me dit:

— J'avais ton âge quand ils m'ont envoyé. Maintenant je suis pris au piège.

— Mais quel piège?

— Celui de la vieillesse. Chaque effort me fait vieillir d'un an. Je viens de te secourir et de te donner mon dernier effort.

Et le vieil homme meurt devant moi.

Je me sens tout drôle. J'aimerais bien être chez moi, mais la réalité, c'est la réalité! Je regarde la potion. Elle est là, tout près. Je n'ai qu'à la saisir. La nuit commence à tomber et je constate que c'est un très bon endroit pour dormir. J'ai si sommeil.

Dois-je me saisir de la potion et la ramener tout de suite (je me rends au **18**) ou faire un petit somme et refaire mes forces (je me rends au **2**)?

7

En me dirigeant du côté droit, je bute sur de gros animaux écrasés. En me relevant, je me retrouve devant une grosse porte brune. J'essaie de l'ouvrir, mais rien ne bouge.

— Fabaldin, Fabaldin! N'ouvre pas cette porte!

Il y a une voix qui me parle de l'autre côté.

— Mais pourquoi?

— Il y a plein de pièges ici.

— Tant pis, j'y vais quand même.

J'ouvre la porte et je reste bouche bée. Je me trouve devant une grande salle avec des lumières partout. Sur le plancher, il y a des carreaux noirs et des carreaux blancs. Dès que je mets le pied sur un blanc, il y a des poteaux qui se dressent devant moi. Alors je me dis: «Pourquoi pas les noirs?» Hélas! il y a des pics qui partent de tous les côtés.

— Comment vais-je traverser cette salle? Comment éviter tous ces poteaux et tous ces pics?

Je me retourne. Sur ma gauche, un lac! Je m'approche.

Mais il y a tellement d'insectes que je recule.

Que faire? Affronter les insectes du lac (je me rends au **25**) ou les pièges de cette maudite salle (je me rends au **22**)?

8

Avec le sourire fendu jusqu'aux oreilles, je me presse d'enfiler la paire d'ailes qui se trouve sur le mur derrière moi. Je n'ai pas le temps de faire un pas pour me donner un élan pour m'envoler de l'autre côté du précipice que la grenouille m'arrête brusquement en me disant:

— Fabaldin!

— Qu'as-tu de si pressant à me dire encore? Tu ne te rends pas compte que je touche au but? La potion est là, de l'autre côté.

— Oui, mais j'ai encore quelque chose à te dire.

— Et quel est ce quelque chose?

— Pour traverser le précipice, tu n'as que des ailes faites en plumes de moineaux, ce qui n'est pas très solide. Tu pourrais seulement le traverser s'il n'y avait pas de gros vents, ce qui me surprendrait fort.

— Je tente mon coup!

— Alors, il ne me reste qu'à te souhaiter bonne chance.

— Je ne vois pas pourquoi je ne prendrais pas une chance. Après tout, j'ai bien passé à travers d'autres épreuves! En passant par toi, la première!

— Comme tu veux, Fabaldin.

— Maintenant je pars sans plus attendre!

Je me redonne donc un élan pour m'envoler au-delà du précipice. Je n'ai pas encore fait la moitié de la distance que me viennent de grosses rafales de vent.

— Ah non! me dis-je en moi-même.

Je bats des ailes tant que je peux,

mais les gros vents sont plus forts que moi et m'emportent dans le précipice, d'où je ne pourrai jamais ressortir. •

9

Cela fait bientôt une heure que je me promène dans le labyrinthe pour trouver une corde dans le but de traverser le précipice. J'ai bien essayé tous les chemins, toutes les directions, mais j'ai l'impression de tourner en rond.

En repassant par le même endroit, j'entends un petit bruit. Je me retourne et j'aperçois un objet rond par terre. Je pense que c'est une corde enroulée. Eh oui! c'en est une! Elle est assez longue et a l'air résistante.

Maintenant je dois vite retrouver mon chemin pour rentrer chez moi. Je retrouve mon chemin assez rapidement et je vois le précipice.

Je remarque de l'autre côté qu'il y a un rocher en forme de cône. Si je peux lancer la corde autour de ce rocher et l'attacher de mon côté, je pourrai traverser le précipice.

Après quelques essais, je réussis à attacher la corde des deux côtés. Je vérifie si tout est solide. Et puis je commence à traverser.

Je suis rendu à mi-chemin. La corde se met à bouger, à gigoter. Puis elle grossit et prend la forme d'un serpent.

Pendant que je me dépêche pour me rendre de l'autre côté, mes mains commencent à glisser. Je relève la tête et je vois le Dieu de l'eau prendre la potion magique à ma ceinture et la remettre à sa place. Et puis, d'un coup de pied, il me pousse en bas du précipice. •

10

J'avance dans le couloir brumeux et immensément long. Il fait chaud à en crever. Continuant mon chemin, je m'aperçois que mes cheveux descendent en cascade sur mon visage et me cachent la vue.

Je les repousse de la main, mais ils retombent aussitôt. Bientôt ils viennent me chatouiller le menton. Ils descendent jusqu'aux coudes et s'arrêtent à la hauteur des genoux.

— A-t-on idée de se promener avec des cheveux aussi longs? dit soudainement une petite voix criarde.

J'écarte mes cheveux et je vois une grenouille avec des cheveux rouges fluorescents coupés en brosse. Son habillement fait style vacances à la plage (chemise à fleurs et bermuda jaune). Elle tient une grosse paire de ciseaux:

— Ça tombe bien, je suis coiffeur.

Je m'assois sur une roche et la grenouille me coupe les cheveux.

— Combien vous dois-je?

— Vingt pièces d'or.

— Vingt pièces d'or! m'exclamé-je. Mais c'est de l'arnaque!

— Dis donc, le jeune, ta tignasse, c'était pas de la tarte.

Après une petite querelle, je décide de payer et continue ma route. Malheureusement, mes cheveux repoussent à une allure folle et je dois me diriger à l'aveuglette. Comme par enchantement, la grenouille refait surface et je dois encore la payer. Mais aussitôt après, mes cheveux repoussent. Et chaque fois, la grenouille réapparaît.

— J'ai bien ri aujourd'hui. Mon portefeuille est rempli. Maintenant je dois te tuer, sinon tu risques de trouver la potion magique.

Elle passe sa patte dans ses cheveux et les miens s'enroulent autour de ma gorge.

Cette grenouille a le pouvoir de faire pousser mes cheveux! Je dois faire quelque chose avant d'être étranglé. Fuir le plus loin possible de cette grenouille et de son enchantement maudit (je me rends au **5**) ou essayer de l'attraper (je me rends au **17**).

11

Je décide de continuer dans le canal. Une lueur, au bout, pique ma curiosité. Je me dirige vers elle et le canal s'agrandit. Je marche d'un pas incertain. Tout en avançant, je m'aperçois que c'est une énorme auberge. Toutes les lumières à l'intérieur sont allumées. J'entends des gens qui s'amusent, rient et crient. Je suis surpris de ce que j'entends. Alors je fais le tour du bâtiment pour peut-être essayer de voir à l'intérieur.

Malheureusement je ne vois rien car les fenêtres sont munies de vitraux colorés. Alors je pénètre à l'intérieur de l'auberge par la porte principale.

J'entre et, à mon grand étonnement, je vois des squelettes assis aux tables. Je les compte. Ils sont dix-huit. Je n'aime pas ça. Et là je redresse la tête et je vois une toile où Trenthor, le Réquisitionneur, est peint. Le feu du foyer placé juste au-dessous de la peinture s'active. Soudain, Trenthor sort du feu. Il se met à rire:

— Ha! ha! ha! Bienvenue dans mon royaume maléfique! Fabaldin, tu as échoué dans ta mission. Tu es condamné à mourir dans cette auberge sans issue, comme tous ces jeunes hommes que j'ai réquisitionnés le jour de leur anniversaire. Prends place à une table et prends ton dernier repas. Ha! ha! ha!

Je prends place et mange le repas qui m'est servi. La peau de mon corps se met à tomber comme de vieilles guenilles usées...

Et je m'éteins lentement. •

12

— Trenthor! Finalement tu n'es qu'un traître! Tout le pays a eu confiance en toi. Pendant toutes ces années, tu as choisi de mauvais chevaliers pour trouver la potion magique. Tu nous as fait croire que c'était les meilleurs. Mais cette année, tu t'es trompé, n'est-ce pas? Et tu aimerais bien que je casse la fiole ici! Mais je ne suis pas sot. Je sais aussi bien que toi que pour que la potion agisse, il faut la verser sur l'entrée du labyrinthe. La fracasser ici n'aurait aucun effet... Trenthor, je vais te tuer!

Et je lui plante mon poignard sacré dans le cœur.

Au même instant, les guerriers disparaissent et une porte s'ouvre sur l'extérieur. Je sors et je vois que le peuple est là, à m'attendre...

Majestueusement, j'ouvre la fiole et en verse le contenu sur l'entrée du labyrinthe. Aussitôt le labyrinthe s'enfonce en laissant place à un grand trou qui se remplit peu à peu d'eau...

Et maintenant on voit un lac majestueux avec un bateau qui s'avance vers la berge. À l'intérieur, on peut voir dix-huit hommes. Les anciens chevaliers sont vivants! Je les ai sauvés!

Les trois rois et le Dieu de l'eau viennent me voir pour me féliciter. Les trois rois font la paix, se promettant de séparer le lac en trois parties égales. Quant au Dieu de l'eau, il est vraiment surpris. En plus d'avoir découvert la potion magique, j'ai démasqué Trenthor. Il annonce qu'il fera édifier un monument en mon honneur.

Le peuple est fier. Moi aussi. On me soulève et me promène dans les rues.

En passant devant ma maison, j'aperçois mon père et ma mère qui pleurent de joie et me lancent:

— Bravo, Fabaldin!...

Alors tout le monde se met à crier:

— Bravo, Fabaldin!... Vive Fabaldin!... Fabaldin est notre sauveur!...

Les années passent et toujours, quand on me voit, on se souvient de moi, le grand chevalier Fabaldin.

FIN

13

J'ai frappé mes trois coups, mais rien ne se passe. Je décide de continuer à chercher la corde quand j'entends une immense craquement. Je me retourne vers la porte: elle est ouverte, et une éblouissante lumière m'aveugle.

J'avance et, droit devant, je vois la grenouille, le vieillard et Trenthor, tous là pour me faire leurs félicitations:

— Tu es très fort, commence le vieillard. Mais ta seule chance de réussir est de nous affronter tous les trois.

— Même vous, vieillard? Je vous croyais de mon côté.

— J'ai dû me mettre du côté de Trenthor pour pouvoir continuer à vivre. Et maintenant je suis contre toi.

— Eh bien, vous le regretterez amèrement.

Au moment où je dis cela, les cheveux commencent à me pousser. Mais là, je ne peux pas m'enfuir. Alors je saisis la grenouille à la gorge et je serre. Quand je fais cela, mes cheveux arrêtent de pousser. Et de un! Je laisse là la grenouille évanouie. Il me reste Trenthor et le vieillard...

Je regarde mes cheveux. Ils commencent à blanchir. À ma droite, il y a un miroir. Je me regarde et vois un vieux barbu d'une soixantaine d'années.

Je prends les forces qui me restent et je pousse le vieillard dans un précipice. Aussitôt, je commence à rajeunir. Mais à ce moment, Trenthor m'assomme.

Je me réveille et je lève la tête.

Trenthor tient la potion magique. Il se met à rire et la boit d'un trait. Il me dit:

— Félicitations! tu es très courageux et très fort. Pour ça, je te laisse la vie sauve. Prends ce chemin et dis à tout le monde que j'ai gagné et qu'il n'y a plus aucune chance de sauver le lac. Tu as perdu, mon jeune! •

14

Je décide donc de continuer mon chemin. J'ai à peine le temps de faire quelques pas que soudain un mur commence à se rapprocher de moi.

Je me mets à courir de toutes mes forces et, enfin, j'arrive au bout du tunnel, sain et sauf.

Devant moi, j'aperçois, en plein milieu de la pièce, une sorte de petit flacon posé sur un immense coussin. J'ai peine à croire que la potion magique soit là, à ma portée et aussi facilement, surtout après toutes ces épreuves.

Je commence lentement à avancer et je mets un pied sur la première tuile. Malheur! La tuile s'écroule aussitôt. Alors je mets mon autre pied sur la tuile suivante, et je tombe dans une cave, à cent mètres de profondeur. Je suis mort! •

15

Je prends trop de temps à me décider. Et les squelettes m'empêchent de prendre le radeau. Je me vois donc dans l'obligation de prendre le couloir.

Les squelettes ne sont plus qu'à quelques mètres de moi. Je bondis dans le couloir en évitant de justesse un nid de vipères. Je cours. J'ai peur que les squelettes me rattrapent! Par mégarde, je trébuche dans une corde qui traîne par terre. Je me relève et entends un bruit assourdissant. Je continue d'avancer et je vois un mur s'ouvrir sur une grande salle tout éclairée.

J'entre et je vois, au milieu, une fiole dans laquelle il y a un liquide d'un bleu très pur. Mais comme j'avance ma main pour la prendre, une lumière éblouissante jaillit et je sens ma peau qui brûle! J'enlève ma main et je recule de deux pas pour réfléchir.

Soudain j'ai une idée. Il doit y avoir une place où la lumière ne jaillit pas aussitôt que l'on avance. J'essaie donc. À mon troisième essai, il n'y a pas de lumière, mais aussitôt que je touche à la fiole, une trappe s'ouvre sous mes pieds et je me retrouve dans une grande salle sans issue...

Et il n'y a même plus de trappe au-dessus de moi. Je suis perdu. •

16

Eh bien, je décide d'affronter ces épouvantables zombies qui sont prêts à me bondir dessus à tout moment. Mon sang se glace dans mes veines chaudes, mais je prends mon courage à deux mains et je leur dis:

— Ne bougez pas, sinon je vous tuerai tous!

Mais cela ne change pas grand-chose à leurs plans. Ils veulent me tuer d'une manière ou d'une autre. Ils marchent d'un pas très rapide et il ne leur reste qu'une dizaine de mètres avant de me rejoindre. Je suis terrifié. C'est alors que je sors mon poignard sacré encore taché du sang de cette maudite grenouille. À ce moment, c'est au tour des zombies d'être terrifiés. En voyant mon poignard, ils s'écrasent tous par terre, un à un, se cassant en mille morceaux. Je reste alors très surpris, mais je suis quand même très content de la fin de cette épreuve si épeurante, mais si facile.

Je me rends maintenant au tabouret sur lequel se trouve la coupe. Si j'avais bu, cela m'aurait sûrement coûté la vie. Je la prends et je l'observe attentivement. Je remarque qu'elle est en or et qu'en dessous, il y a une phrase très usée d'écrite: «Celui qui versera cette coupe sera...» Et le reste n'est plus lisible.

Je prends alors le risque de verser ce liquide vert et très pâteux sur le plancher. J'entends POUF!!! Je regarde sur le plancher et vois un trou extraordinairement lumineux. Et me voilà encore pris avec une décision difficile parce qu'il y a toujours ce chemin qui continue tout droit.

Si je prends le chemin droit, je me rends à **14**. Et si je saute dans ce trou de lumière, je me rends à **32**.

17

Il y a belle lurette que j'ai engagé cette course infernale contre cette satanée grenouille! C'est ma seule chance de survie. Si je ne la rattrape pas, mes cheveux auront tôt fait de m'étrangler. Ma chevelure violacée que je chéris tant depuis mon plus jeune âge est en train de causer ma perte.

Je suis épuisé, je n'en peux plus, j'ai peine à respirer. Je vais m'étendre là, dans ce coin, pour me reposer un peu. Comment pourrais-je l'attraper? C'est ma seule chance de sauver mon pays de la sécheresse. Ah! il me faut la potion absolument!

Je suis surpris par une violente piqûre au crâne. Là, devant moi, se tient un autre garçon qui essaie de coller à son crâne chauve de teinte verdâtre le cheveu qu'il vient de me soustraire.

— Qui es-tu, le chauve?

— Je suis Tibia, ton précédent.

— Que t'est-il arrivé?

— Oh! Fabaldin, c'est terrible. J'ai poursuivi comme toi la grenouille. Elle m'a infligé, pour me punir, cette sinistre maladie qu'est la calvitie. Si tu me donnes quelques cheveux, tu me sauveras la vie.

— O.K. Tibia, coupe! .

— Mais, Fabaldin, il faudra aller chercher la colle pour les recoller. Elle est de l'autre côté du ravin.

— Allez, coupe, et on traversera.

Deux coups de ciseaux diagonalement dans ma tignasse et hop! plus un seul cheveu! Ce garçon est un bien habile coiffeur.

— On y va, lançé-je. Je vais tendre une corde au-dessus du ravin... O.K. à toi l'honneur, Tibia!

— Alors Fabaldin, tu es chauve maintenant. Et tu passeras le reste de tes jours dans le labyrinthe. Et moi, dès que j'aurai traversé le ravin, je redeviendrai grenouille... tu sais, la coiffeuse...

— Ça ne se passera pas comme ça, la grenouille. Tu m'as berné. Alors, maintenant tu vas voir le fond du ravin.

Et je lui donne une violente poussée.

— Fabaldin, je... je... tombe... Sois maudit!

La grenouille est anéantie, mais je devrai passer le reste de mes jours dans ce pitoyable endroit. Mais qui sait, le prochain chevalier réussira peut-être sa mission. •

18

J'ai hâte de retourner à la maison. Alors je prends tout de suite la potion magique.

Aussitôt tout se met à trembler. J'essaie de m'enfuir. Je ne peux pas car il faut que je repasse par le précipice et je n'ai rien pour le traverser. Alors j'essaie de me trouver un coin pour me protéger en attendant que ce tremblement terrible finisse.

Quand tout est fini, le Dieu de l'eau apparaît et me dit:

— Tu as peut-être réussi à prendre la potion magique, mais il faut que tu ressortes de ce labyrinthe. Bonne chance.

Et il disparaît.

Je me dis que ce n'est pas grave, que c'est juste des menaces.

Je me relève, puis je me mets à la recherche d'une corde pour traverser le précipice. Tout à coup, j'entends quelque chose derrière moi.

Je me retourne, et c'est encore cette fameuse grenouille. Aussitôt mes cheveux recommencent à pousser.

Pour ne pas me faire étrangler une autre fois, je me mets à courir le plus vite possible. Pendant que je cours, mes cheveux redeviennent comme avant.

Je me retourne pour être bien sûr que la grenouille n'est plus là. Elle n'est plus là.

Je continue mes recherches pour trouver la corde. En la cherchant, je me cogne la tête sur quelque chose. Je tombe par terre. Tout étourdi, je me relève et je vois une énorme porte. Dessus, c'est écrit: «Cognez trois fois et la porte s'ouvrira.»

Mais là qu'est-ce que je fais? Cogner pour que la porte s'ouvre (je me rends au **13**) ou continuer à chercher la corde pour traverser le précipice (je me rends au **9**)?

19

Je me débats de toutes mes forces et enfin cette immense chauve-souris me dépose. Aussitôt je vois disparaître cet immense oiseau dans le couloir lumineux, un peu plus haut que moi.

Dans une presque obscurité, j'essaie de fouiller les murs. Je m'appuie sur une roche assez bizarre et, tout à coup, une partie du mur se met à se déplacer. C'est une étroite porte pour me laisser entrer.

À peine entré, je vois un grand réservoir d'eau et, un peu plus en arrière, un trône un peu usé.

La porte se referme dans un grincement épouvantable. Dans la salle, j'entends un rire multiplié par l'écho. Soudain un étrange personnage m'apparaît.

— Je suis le Dieu de l'eau! Tu es le dix-huitième, mais tu es le premier à m'atteindre.

— Pourquoi as-tu pris notre eau? Une sécheresse s'est emparée de nos trois villes! Et toi, tu ris!

— Lorsque vous aviez votre eau, tout le monde voulait en être le propriétaire.

Je m'enfuis en courant et une nouvelle porte s'ouvre devant moi. Je la traverse. De nouveau cette porte se referme comme elle s'était ouverte. Dans l'obscurité, je sens comme des cordes s'enrouler autour de mes jambes.

Serait-ce des serpents qui me dégustent? •

20

Je réfléchis bien et je décide de faire confiance à Ti-Coune. J'ai peur, mais je veux tellement faire honneur au grand Réquisitionneur et trouver la potion magique. Ti-Coune me dit:

— Prends cette carte et cette branche de sapin. Quand il y aura des obstacles, frappe trois fois la branche sur le sol.

Et Ti-Coune disparaît.

Rassuré et confiant, je poursuis mon chemin dans ce labyrinthe sans fin. Je siffle un air gai.

Soudain je vois une fissure dans le mur de gauche. Je regarde dans le trou. J'aperçois un levier. J'étire le bras et je baisse le levier. Sous mes pieds une trappe invisible s'ouvre et je tombe à une vitesse folle dans un tunnel d'or.

La peur s'empare de moi mais je me rappelle la branche de sapin et je frappe trois fois sur le sol du tunnel d'or. Voici que mes bras sont des ailes d'oiseau!

Je vole et m'enfuis jusqu'au fond de ce couloir. Ça y est! Je pense que j'arrive au but, mais soudain un précipice vertigineux se présente à moi. Je suis dans l'impasse. Mes ailes ont disparu.

Alors je remarque qu'il y a un pont en corde, à cent mètres de ma position.

Je m'empresse d'y arriver. Au loin, de l'autre côté du précipice, j'aperçois la potion magique. Quelle merveille! Je suis un héros! Tout le monde m'attend et je suis si fier!

Mais comment traverser ce pont si fragile qui me conduira à mon but?

Corde par corde, mes pieds tremblants avancent à petits pas. Soudain un rugissement me fait peur. Je tombe en bas du pont et me casse le cou.

Je meurs subitement. •

21

J'entre dans le passage et commence à l'explorer. Au bout de quelques instants, je me retrouve dans une magnifique salle d'or. Dans le fond se trouve une immense statue de marbre. Je m'approche pour mieux l'examiner. Tout à coup elle se met à me parler:

— Fabaldin! me dit-elle, tu as trouvé la potion qui te permet de faire revenir l'eau dans ton pays. Pour ce faire, tu dois vider le contenu de la fiole dans un des deux puits qui se trouvent derrière cette porte. Mais attention! Si tu te trompes de puits, tu finiras comme tous les autres.

— Mais quel puits?

— Je ne peux pas te le dire.

— Merci quand même pour ces précieux conseils.

Je quitte la statue et ouvre la lourde porte. Aussitôt elle se referme derrière moi. Je regarde la pièce quelques instants et découvre que la salle est vide. Dans le fond, j'aperçois une très petite porte d'environ un mètre de hauteur. Je m'accroupis et je passe de l'autre côté. Je me retrouve dans un immense jardin rempli de fleurs.

Au milieu du jardin se trouvent les deux puits. Je m'approche. Alors ils se mettent à me parler, chacun disant de l'autre que c'est le mauvais puits.

Après un débat acharné, je réussis à les faire taire.

Après maintes déductions, je décide de vider le contenu de la fiole dans le deuxième puits. Mais rien ne se passe. Quelques minutes plus tard, je sens un étourdissement qui me fait perdre connaissance.

Je me réveille quelques heures après, parmi les cris et les lamentations.

Je regarde les gens autour de moi et je me rends compte que je suis avec tous les autres qui n'ont pas réussi la mission. •

22

Je rampe le long d'un mur pour qu'un pic ne me transperce pas le corps. Puis je m'appuie sur une pierre pour réfléchir, mais celle-ci s'enfonce et une porte s'ouvre. Je décide d'entrer dans ce couloir éclairé d'une lumière rouge.

Plus je m'enfonce dans le tunnel, plus la lumière m'aveugle. Elle m'aveugle tellement qu'il faut que je me tienne sur les murs de chaque côté. Mais tout à coup, je ne sens plus les murs. J'essaie de voir quelque chose, mais la lumière me fait trop mal aux yeux.

J'aperçois tout de même une ombre s'avancer dans cette lumière si aveuglante. Je ne sais trop ce que c'est. Ça me saute sur l'épaule. La créature a l'air d'avoir de longues jambes et de petits bras. Elle me dit, tout bas, dans l'oreille:

— Je m'appelle Ti-Coune et je suis un Galoupe. Je suis venu ici pour t'aider à trouver ton chemin.

— Mais qui me dit que tu vas m'aider?

— Je vais t'avouer quelque chose. Je suis un gars qui a été envoyé ici comme toi. Si tu ne veux pas que je t'aide, dis-le et je vais partir.

Que dois-je faire? Lui faire confiance (je me rends au **20**) ou lui dire de partir (je me rends au **31**)?

23

Je prends finalement la crevasse dans le mur de gauche. Aussitôt que j'entre, la crevasse se referme derrière moi, me laissant, à mon grand désespoir, seul devant un petit lac de sable vert et malodorant.

Je fais alors quelques pas en avant, avec vigilance. Mais plus j'avance, plus le sable du lac bouge, et tout à coup, une énorme grenouille avec des points rouges et des antennes sort du lac.

Elle commence alors à m'attaquer, à me sauter dessus. Mais quand elle vient pour me manger, je lui plante mon poignard sacré dans le cœur. Et elle s'écroule, gisant dans son sang.

Je continue mon chemin, laissant la grenouille et le lac de sable derrière moi.

Tiens, mais qu'est-ce que je vois? Un canal. Je vais le suivre.

Je suis le canal pendant deux heures. Maintenant je me retrouve devant deux parcours.

Est-ce que je dois suivre le canal qui continue tout droit (je me rends au **11**) ou prendre le trou à ma droite (je me rends au **4**)?

24

J'embarque sur le radeau en vérifiant bien sa solidité. Je rame avec assurance en utilisant une pagaie que j'ai trouvée sur la rive. Je remarque que le lac est de sable vert lui aussi, mais plus grand. Je me rends sur l'autre rive sans difficulté en une vingtaine de minutes.

J'échoue sur la grève et j'attache solidement mon embarcation à un tronc d'arbre. Je vois un tunnel et je décide de l'emprunter. Dans ce couloir très sombre, j'aperçois, à l'autre bout, des dizaines d'étoiles. En avançant, je me rends compte que c'est le reflet de plusieurs fioles.

Je pénètre dans la salle où se trouvent ces bouteilles. Le mur en face de moi attire mon attention, car un message y est gravé: «C'EST ICI QUE SE TROUVE LA POTION MAGIQUE QUI A LE POUVOIR DE FAIRE REVENIR L'EAU DANS LE PAYS. MAIS AVANT DE CHOISIR UNE FIOLE, TU DOIS COMPLÉTER CE PROVERBE: DANS LES PETITS POTS, LES... »

— Les meilleurs onguents! Bien sûr, me dis-je. Je n'ai qu'à choisir la plus petite.

J'examine toutes les bouteilles et j'en remarque deux très petites, dont l'une très poussiéreuse et l'autre brillante. Je prends la plus poussiéreuse, car elle est supposée être là depuis dix-huit ans.

Tout à coup, une pierre se déplace sur ma droite, ouvrant un passage sombre.

Je dois sortir d'ici. Si je grimpe vers le puits de lumière qui fait briller toutes ces bouteilles, je me rends au **34**. Si je me dirige vers le passage qui s'est ouvert, je me rends au **21**.

25

Avant de plonger, je regarde les alentours et je vois, au milieu du lac qui n'est pas très grand, une petite île. Sur l'île, il y a un arbre. Un arbre qui me donne une idée.

Je sors la corde que je traîne toujours avec moi et j'en fais un lasso. Je le fais tourner et le lance pour qu'il s'agrippe à une des plus hautes branches.

Mon premier essai est raté et il me faut recommencer au plus vite car les insectes deviennent achalants, très achalants. Heureusement, le deuxième essai est beaucoup plus fructueux.

Je me précipite à reculons, prends mon élan et grimpe dans la corde. À mi-chemin dans les airs, j'entends CRAC! et je tombe dans l'eau. La corde vient de casser. Il me faut regagner l'île à la nage.

Rendu sur l'île, je suis tout trempé. Et il faut que je traverse le reste du lac à la nage. Mais il y a tellement d'insectes.

— Ouille! Saloperie de bestioles!

Je viens de me faire piquer. Mais il faut continuer. Je me remets à la nage. Sur l'autre rive, épuisé, je décide de me reposer quelques instants... Mais je me sens tout drôle... Je vois des choses bizarres... Je suis en train de délirer...

Je rêve ou quoi? Il y a un chevalier sur sa monture qui fonce sur moi. Ce doit être un rêve! Mais je me rends vite compte que ce n'en est pas un. Sa lance vient de me pénétrer la poitrine. Le chevalier vient de m'embrocher sur le mur...

Il s'en va. Il me laisse là, piqué sur le mur avec sa lance en plein milieu de mon corps. Je dois me résigner. Je n'ai pas pu faire revenir l'eau dans mon pays. J'ai échoué, ainsi que les dix-huit autres jeunes hommes. •

26

Je dépose mes affaires par terre et me dirige vers le serpent sculpté. Il a vraiment une allure diabolique. Tout à coup, j'entends:

— Hé! Fabaldin! Lâche ton arme!

Je me retourne et, à ma grande surprise, je reconnais Strator. C'est un chevalier lui aussi, mais d'une autre ville que la mienne: la ville de Barnum.

Je décide de me tasser et de lui laisser la place.

Il examine attentivement le serpent et, après réflexion, il pousse sur la langue du serpent. Je vois alors, sous mes yeux, la potion lui sauter dans les mains, comme si cela avait été prévu.

Je prends mon courage à deux mains et dis à Strator de me donner la potion, sinon je le tuerai.

Il sort son épée pour m'affronter. Nous entendons alors un rire diabolique qui nous glace le sang et retrousse nos cheveux. C'est la voix de Trenthor:

— Vous n'avez pas compris que vous deviez unir vos forces pour avoir la potion et pour que tous en profitent. Si les trois villes sont comme vous deux, elles devront encore attendre dix-huit ans pour la trouver.

À ce moment, une vague arrive sur nous. Strator et moi sommes étouffés par l'eau car nous avons mal agi. •

27

Je me place du côté du scorpion et je tends le bras vers la potion magique. Je la tiens.

Je la soulève à bout de bras. Aussitôt, le plafond s'ouvre sur un ciel bleu à l'infini.

Autour de moi, le grand labyrinthe s'est évanoui, avec tous ses cauchemars. Il n'y a plus qu'une vaste étendue d'eau lumineuse et je flotte doucement dans une embarcation, au milieu d'un lac étincelant de soleil.

Le mini-labyrinthe est toujours là, au centre de ce vaste radeau de bois. Il a la forme d'une petite pyramide à trois côtés...

Et sur chaque face, je distingue l'image d'un roi avide qui me tend la main... me suppliant de lui donner la fiole. •

28

Après une pénible réflexion, je décide de prendre le côté gauche.

J'avance tranquillement dans le couloir quand, tout à coup, j'aperçois la satanée grenouille qui a voulu m'étrangler. Elle me dit:

— Eh bien! Bravo! En dix-huit ans, tu es le deuxième qui a réussi à me déjouer. Pour te remercier d'avoir mis du changement dans mon travail pénible, je...

— Excusez de vous interrompre,

mais pourquoi dites-vous «travail pénible»?

— Tu sais que le Dieu de l'eau a fait disparaître toute l'eau de ce pays et qu'il était tanné de la guerre qui régnait.

— Oui, je sais, mais je ne sais toujours pas pourquoi vous dites «travail pénible».

— C'est parce que le Dieu de l'eau m'a placé ici pour tuer tous ceux qui s'approcheraient trop de la potion magique.

— Je vois.

— Alors, pour te remercier, je vais t'indiquer où se trouve la potion magique...

Avec méfiance, je suis le chemin que m'a indiqué la grenouille. Ce n'est pas une attrape. La potion est bien là! Mais de l'autre côté d'un précipice.

Sur le mur, il y a des ailes et une planche.

Pour traverser, dois-je prendre les ailes (je me rends au **8**) ou utiliser la planche (je me rends au **6**)?

29

Je m'avance près de l'homme pour mieux entendre ses conseils. Il me dit:

— Dans ce labyrinthe, la force est de peu d'utilité. Un peu de sagesse et un peu de tactique t'aideront beaucoup plus.

— Mais où puis-je trouver ces connaissances?

— L'homme sage sait attendre le moment, me répond-il, ce qui me prouve que tu manques de sagesse.

Un autre homme s'approche et me dit:

— Il y a une coupe dans cette salle. Celui qui boira dedans aura la sagesse nécessaire pour trouver ce qu'il cherche.

Je regarde la coupe un moment. Puis je regarde les dix-huit hommes et je me rends compte que ce sont des zombies qui voulaient me faire croire qu'ils étaient les dix-huit victimes du Réquisitionneur et me tuer par la suite.

Que dois-je faire? Me sauver au plus vite dans le passage secret qu'ils m'ont indiqué tout à l'heure (je me rends au **33**) ou affronter les zombies et prendre la coupe (je me rends au **16**)?

30

Ma grande curiosité m'attire vers la porte secrète. J'appuie sur la pierre.

Alors une porte majestueuse s'ouvre sous mes yeux émerveillés par la lumière qui jaillit.

Sans hésitation, j'entre. Après quelques pas, j'entends un grincement strident: celui de la porte qui se ferme! Le couloir devient alors ombrageux et un vent glacial se lève. Mais je continue quand même.

Tout à coup, des squelettes avec

des araignées qui leur sortent par les yeux surgissent de partout. Ils tiennent des sabres avec du sang séché au bout de la lame. Des nids de vipères apparaissent de chaque côté du couloir et de grands frissons me traversent le corps. Sur les murs, en lettres de sang, s'inscrivent des mots incompréhensibles. Devant moi, il y a un radeau au bord d'un lac.

Alors je vois un autre couloir à ma droite (je me rends au **15**), mais je peux aussi continuer et traverser le lac sur le radeau (je me rends au **24**).

31

— Non, je ne te crois pas! Pars, va-t'en loin d'ici! Je ne veux point de ton aide.

Ti-Coune part immédiatement et la lumière se fait aussitôt moins intense. Je retrouve la vue.

Pendant que j'essaie de trouver une solution pour traverser cette immense salle, un battement d'ailes me fait sursauter.

Regardant autour de moi, j'aperçois une immense ombre noire avec de grandes ailes fonçant droit sur moi.

N'ayant pas le temps de faire un mouvement, je me sens soudain agrippé et soulevé par une immense chauve-souris. Je ferme les yeux. Mais ne sachant pas l'endroit où la chauve-souris veut m'amener, je décide d'ouvrir les yeux pour savoir où je vais.

Après quelques minutes de vol, j'aperçois, en dessous de moi, un grand récipient dont la magnifique lueur m'éblouit de tous ses rayons. À ma grande surprise, cela me semble être la potion magique.

Que faire? Me débattre afin que cette chauve-souris me lâche (je me rends au **19**) ou attendre patiemment d'arriver au repaire de cette affreuse bête (je me rends au **35**)?

32

Alors je saute. Pendant quelques minutes, je descends à vive allure et je ne vois pas le fond du trou. Tout à coup, PLOUF! C'est de l'eau! Je suis tombé dans un immense bassin d'eau.

Alors je nage jusqu'à la rive droite, qui me semble la plus proche.

Mais que vois-je tout à coup sortir des murs? Pas deux, pas trois, pas quatre mais cinq hommes de pierre, armés jusqu'aux dents. Selon moi, ils ne sont pas ici pour une partie de cartes.

Je dégaine mon poignard et je commence à combattre. Ils sont très agiles malgré leur structure rocailleuse. Chaque fois que je réussis à en détruire un, une porte s'ouvre dans le roc, de plus en plus grande.

Après avoir mis mes opposants k.o., je me dirige vers la porte grande ouverte. De l'autre côté de la porte, c'est une grande salle bien éclairée et bien décorée. Au milieu, c'est le labyrinthe, mais en plus petit.

J'inspecte ce mini-labyrinthe. Sur une face, il y a un serpent gravé. Sur la face opposée, il y a un scorpion. Et au milieu, je la vois!

Oui! c'est elle! La fameuse bouteille! La potion magique!

Mais la distance qui me sépare du contenant est trop grande. D'où je suis, je n'ai pas le bras assez long. Que faire? Je pourrais me placer du côté du serpent (je me rends au numéro **26**) ou du côté du scorpion (je me rends au numéro **27**).

33

Je pique une course vers le passage secret que les hommes m'avaient indiqué. J'appuie sur la dernière pierre et la porte s'ouvre comme prévu. Lorsque j'entre dans le passage, une chauve-souris me saute en pleine figure. Je ne me sens plus capable de bouger. La chauve-souris suce mon sang. Je lui donne une claque pour pouvoir enfin continuer mon chemin. Mais elle a eu le temps de me prendre assez de sang pour que je me sente vraiment plus faible.

Après beaucoup de détours, je vois une petite lumière au bout du passage. Je veux absolument savoir ce que c'est. Alors je cours, mais je me rends vite compte que le passage va en se rétrécissant. Je dois maintenant courir accroupi, et le passage continue à rétrécir. Rendu à quatre pattes, je m'aperçois que je dois sauter par-dessus un ravin. Je dois absolument sauter si je veux continuer. À quatre pattes, sauter, c'est assez dur à faire.

Je prends un bon élan. Et je saute. Et je vois, à côté de moi, deux murs qui montent si vite que je ne les vois presque pas passer. Après réflexion, je m'aperçois que c'est moi qui descends. Et je me retrouve, en une fraction de seconde, dans l'eau.

Le courant est si fort que je suis emporté et je me retrouve dans la petite rivière qui coule à côté de chez nous. Je suis obligé de recommencer ma petite (grosse) aventure. Mais avant de continuer, je vais aller manger la bonne soupe que ma mère m'a faite. •

34

Je décide donc de me rendre vers le puits de lumière qui fait briller les bouteilles. Il y a un grand mur devant moi. Il faut que je l'escalade si je veux réussir à me rendre au puits de lumière. À côté de moi, je vois une liane faite de cheveux et d'herbes. Elle est recouverte de petits bouts de peau.

Je monte. Il y a plein de grosses araignées, de chauves-souris et de rats affamés. On dirait qu'ils veulent me manger. Alors je m'empresse de monter.

Je finis par y arriver. Me voilà rendu dans le puits de lumière, on pourrait dire que je suis dans la lumière. Devant moi, un mur aveuglant se dresse. Sur le mur, il y a un heurtoir avec la figure de Trenthor dessus.

Je cogne deux coups, puis le mur glisse tranquillement. J'avance et devant moi se dresse Trenthor, le grand Réquisitionneur. Il me dit:

— Je ne te croyais pas si futé, mon petit.

Alors je brandis la potion magique et je fais un pas pour la lui donner. C'est là que je vois une quinzaine de guerriers sortir des murs. Ils semblent prêts à m'assassiner si je fais un pas de plus.

Que faire? Continuer d'avancer vers Trenthor afin de lui donner la potion magique (je me rends au **3**) ou le menacer de fracasser la fiole sur le sol (je me rends au **12**)?

35

La chauve-souris vit dans un trou énorme. Il y a un autre prisonnier qui habite ici. Il se nomme Kanick. Il est très étrange. Quand je lui ai demandé de nous enfuir, il n'a pas accepté. Il menace même de me dénoncer à la bête.

Que dois-je faire?

La chauve-souris est partie et Kanick est occupé. Je me précipite vers la sortie et saute sur une liane. J'atterris sur un chemin très étroit.

Je marche depuis des heures. Il fait chaud et je suis fatigué. Tout à coup j'aperçois Trenthor qui vient à ma rencontre. Je lui demande:

— Que faites-vous là? Vous êtes venu me sauver?

— Non, Fabaldin. Je suis venu t'aider.

En un clin d'œil, je suis transporté tout près d'un grand récipient. Je fais le tour pour trouver le moyen d'y monter quand soudain j'aperçois Kanick.

Il me dit que j'ai eu tort de m'échapper.

C'est alors que l'affreuse chauve-souris réapparaît et me saisit par les épaules. Au-dessus de la potion magique, elle me secoue et je tombe. J'essaie de refaire surface, mais une force me retient. Je me noie. •

Table des auteurs

17 Mélanie Jacques
18 Pascale Jean
19 Stéphanie Pinet
20 Bruno Lacasse
21 Éric Landry
22 Hélène Lavoie
23 Nathalie Martineau
24 Bernard Miller
25 Éric Pageau
26 Richard Piché
27 Reynald Cantin
28 Stéphanie Royer
29 Nicolas Talbot
30 Sonia Simard
31 Nancy Anderson
32 Nicolas Schelling
33 Yan Tremblay
34 Hélène Trudel
35 Mélanie Turmel

Aux éducateurs...

Ceci s'adresse à tous les éducateurs qui savent l'incommensurable richesse de l'imagination des jeunes et l'intense satisfaction qu'ils éprouvent toujours à la déployer dans l'écriture. Les jeunes adorent écrire! Il n'y a aucune exception à cette donnée. Quand les conditions sont favorables...

Or voici qu'une idée surgie des vacances de Pâques 91 m'a permis de placer mes quatre classes de français dans des conditions particulièrement favorables pour l'écriture d'un conte, objectif terminal de troisième secondaire.

L'idée?... Écrire un conte collectif et progressif, un *conte dont je suis le héros*! Elle fut lancée au début d'avril 91. Fin mai, quatre «contes» étaient écrits, dont *Le Lac disparu*, que la collection Clip de Québec/Amérique vous propose ici tel qu'il m'a été livré par le groupe Français 316-04 de la polyvalente de Loretteville.

Rien n'a été ajouté, rien n'a été retranché. Ce conte est l'expression sans compromis de l'imaginaire de 31 étudiants (14-15 ans) dits «réguliers» ou «ordinaires», regroupés autour de moi par les hasards de l'organisation scolaire.

Je ne fus que l'animateur, l'organisateur, le superviseur. Mon rôle de professeur de français s'est limité à l'orthographe et à la syntaxe. À quelques ajustements stylistiques aussi, mais le moins possible. Il était entendu que je laisserais toute sa liberté à l'imagination. Seule la vulgarité serait bannie. Je n'eus à exercer aucune censure.

Et ainsi, sans que j'intervienne vraiment, je vis naître un conte, bientôt habité d'images et d'êtres fabuleux, d'événements uniques et inattendus, parfois drôles, parfois inquiétants. L'imagination avait pris son envol. J'assistais avec bonheur au développement d'une histoire étourdissante de vie. Sous mes yeux, un réseau d'épisodes se déployait avec une réjouissante ingénuité, de celle qui fait plaisir. Au bout d'un mois et demi, une longue quête vers le bonheur était écrite: *Le Lac disparu*.

Dans ce conte, le héros est Fabaldin. Sa mission est de retrouver une potion magique cachée au centre d'un labyrinthe maléfique afin de faire revenir l'eau et la paix dans le royaume. Le jour de ses 18 ans, Fabaldin est appelé à quitter sa famille et à affronter la vie (le labyrinthe) afin de trouver le bonheur (la potion magique).

Histoire merveilleuse, histoire universelle!

Dans la classe de français, l'élève

était le héros. Sa triple mission: écrire une situation initiale, un épisode central et une situation finale... en moins de deux jours chacun!

À l'élève qui m'a opposé «Mais j'aurai jamais l'temps?...», j'ai osé répondre: «Que penserais-tu d'un héros qui parlerait comme ça?»...

Parole exigeante pour l'élève, mais aussi pour l'enseignant.

Voyez plutôt:

1- L'enseignant fait un schéma pyramidal comme celui de l'annexe A, où chaque numéro représente un épisode. Le hasard détermine la place des 35 numéros, sauf le numéro 1 qui doit être placé au sommet, car c'est l'épisode initial.

Les numéros encerclés représentent les épisodes à la fin desquels le héros (le lecteur) a un choix à faire; il peut poursuivre sa quête.

Les numéros encadrés représentent les épisodes à la fin desquels le héros (le lecteur) subit l'échec dans sa mission; il doit reprendre plus haut sa quête.

L'épisode placé dans une étoile (ici, le numéro 12) représente l'épisode final, celui de l'accomplissement de la mission ou de la victoire du héros (et du lecteur). Cet épisode peut être placé n'importe où au bas de la pyramide.

Les niveaux (de G à A) indiquent à quelle distance de son but se trouve le héros.

2- Sur une liste, l'enseignant associe chaque numéro au nom d'un élève de la classe, sauf les épisodes initial et final (ici, 1 et 12) qui ne sont associés à aucun élève. S'il y a moins de 33 élèves dans la classe, ce n'est pas grave, il y aura toujours des volontaires pour écrire deux textes, je peux l'assurer. (L'enseignant lui-même peut d'ailleurs s'amuser à écrire son propre épisode.)

3- Au moyen de l'annexe B, l'enseignant donne une première mission à toute la classe: écrire l'épisode initial, l'épisode 1.

4- L'enseignant évalue ces épisodes de départ selon la grille au bas de l'annexe B. Puis il retient les épisodes les plus intéressants parmi ceux qui respectent toutes les consignes. Enfin, il fait choisir la classe: «Quel épisode vous inspire le plus?... À quel épisode aimeriez-vous donner une suite?»

5- À partir de ce choix collectif, l'écriture progressive du conte peut commencer. L'enseignant, en suivant son diagramme pyramidal, du niveau G vers le niveau A, donne à chacun sa deuxième mission: écrire un épisode central. Il doit évidemment fournir à l'élève la photocopie de ce qui a été écrit précédemment, ainsi qu'une des deux feuilles de consignes suivantes: l'annexe C, s'il s'agit d'un épisode encerclé (qui se termine par un choix); l'annexe D, s'il s'agit d'un épisode encadré (qui se termine par un échec).

De plus, l'enseignant devrait indiquer à l'élève à quel niveau il se trouve. Ainsi, les épisodes de niveaux B et A devraient présenter un héros sur le point d'atteindre son but.

6- Au fur et à mesure, l'enseignant évalue les épisodes individuels selon la grille fournie avec les consignes. (La correction est ainsi échelonnée sur plusieurs semaines.) Bientôt ne reste plus que l'épisode final à écrire. Alors, au moyen de l'annexe E, l'enseignant peut donner à ses élèves la troisième et dernière mission: écrire l'épisode final.

7- L'enseignant évalue les épisodes finals. De nouveau, il retient les épisodes les plus intéressants parmi ceux qui respectent toutes les consignes. Enfin, il fait choisir la classe: «Quel épisode vous paraît le plus réussi?»

L'enseignant a alors en main les 35 épisodes. Il n'a qu'à les placer en ordre (de 1 à 35)... et publier.

Ainsi, chaque élève a écrit un épisode initial, un épisode central et un épisode final sur lesquels il a été évalué. L'objectif terminal de troisième secondaire, «écrire un conte avec l'intention de satisfaire un besoin d'imaginaire, d'explorer le langage et de se donner une vision du monde», est atteint.

Mais surtout, chaque élève se retrouve avec un beau souvenir, sous la forme d'un *conte dont je suis le héros* auquel toute la classe a participé. Une séance de signatures couronne le tout, comme pour un album de finissants... comme pour une réunion d'écrivains.

Et voilà le travail. Mais il faut ajouter quelques remarques...

D'abord, vous l'aurez deviné, ce projet d'écriture demande une organisation solide, et du travail supplémentaire. De plus, il ne peut se réaliser que si la classe — et l'enseignant — ont accès à un traitement de texte. Cela fait partie des conditions mentionnées au début et sans lesquelles: mission impossible!

De plus, je rappelle aux enseignants enthousiastes que 4 fois 33 élèves qui aiment écrire, ça peut produire des quantités folles de paragraphes. Aussi, une période d'un mois et demi pour un tel projet est un peu courte et risque d'entraîner l'enseignant dans un rythme infernal de travail. Il serait sage de prévoir trois mois, voire dix.

Mais enfin, j'aimerais surtout insister sur l'importance d'une petite consigne omniprésente:

«Pense à un jeune lecteur de 10 à 12 ans!»

Adressé à un élève de 14-15 ans, ce conseil a eu, je crois, des effets très bénéfiques. Écrivant pour un plus jeune — pour un enfant presque — l'adolescent se voyait ainsi dégagé d'un effort inutile qu'il aurait peut-être déployé afin de faire «homme». La consigne lui permettait de faire «jeune». Elle situait son imagination dans un monde familier qu'il connaît d'expérience, celui de l'enfance. Une tension superflue était ainsi éliminée.

Et puis, il y avait aussi cette consigne: «Mets-y tout ton cœur et amuse-toi bien!»

Celle-là, eh bien, je la retourne tout simplement aux enseignants qui voudraient se lancer dans un projet similaire.

Mais je leur rappelle: dans un conte, la seule limite, c'est l'imagination... et celle des jeunes n'en a pas! Alors...

Bon courage, prof!

Et bonne route!

Reynald

Annexe A

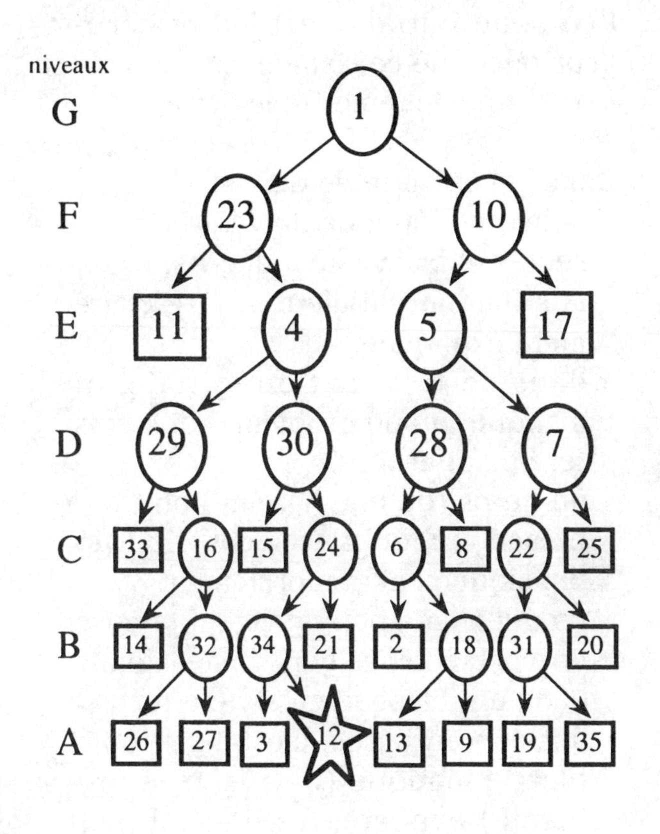
niveaux
G
F
E
D
C
B
A
1
23
10
11
4
5
17
29
30
28
7
33
16
15
24
6
8
22
25
14
32
34
21
2
18
31
20
26
27
3
12
13
9
19
35

Annexe B

Voici ta première mission: écrire l'épisode initial, c'est-à-dire écrire l'épisode 1 de ce *conte dont je suis le héros* et me le remettre le *(date)*.

Dans cet épisode de départ:

1. le lieu et l'époque doivent être présentés et brièvement décrits;
2. la situation initiale doit être clairement expliquée;
3. dans cette situation initiale, un manque (ou un problème) doit exister ou apparaître;
4. un héros (ou une héroïne) doit être présenté(e) et brièvement décrit(e), physiquement et moralement;
5. un deuxième personnage doit aussi être présenté; ce personnage donne, dans un dialogue en style direct, sa mission au héros, c'est-à-dire combler le manque (ou régler le problème) exposé plus haut; il peut donner un conseil ou imposer un interdit;

6. le héros doit partir à l'aventure et se trouver aussitôt devant un choix difficile à faire entre deux possibilités (originales, troublantes);
7. tu dois écrire au présent de l'indicatif et à la première personne du singulier; autrement dit, tu fais comme si tu étais le héros (ou l'héroïne) et comme si tu racontais ta propre aventure au moment où elle se déroule.

Note: Tu essaies de finir ton épisode sur un suspense, de sorte que le lecteur ait envie de lire la suite des aventures de ton héros. Ta responsabilité est de soulever son intérêt pour la mission du héros et les aventures qui commencent.

Pense à un jeune lecteur de 10 à 12 ans.

Mets-y tout ton cœur
et amuse-toi bien!

Ton épisode initial sera évalué ainsi:

- présentation de la situation initiale (lieu, époque, manque): **20 points**;
- présentation et description des personnages: **20 points**;
- respect des règles du style direct (dialogue): **10 points**;
- texte bien divisé en paragraphes avec alinéas: **10 points**;
- phrases bien construites, variées et bien ponctuées: **10 points**;
- vocabulaire précis et varié: **10 points**;
- orthographe: **20 points**.

Annexe C

(prénom de l'élève), voici ta deuxième mission: écrire l'épisode numéro *(numéro de l'épisode)* et me le remettre le *(date)*. Tu me redonneras aussi tous les papiers que je te confie maintenant sous ce trombone.

Lis bien attentivement et enregistre tous les détails des épisodes *(numéros des épisodes précédents dont les photocopies sont jointes)*. Ton épisode doit être une suite logique. Tu ne dois rien contredire de ce qui a déjà été écrit.

Si tu le désires, tu peux faire apparaître de nouveaux éléments dans l'histoire (personnages, animaux, objets, etc.) ou en faire réapparaître d'anciens.

Rappelle-toi toujours que le héros s'appelle *(nom du héros)* et qu'il n'a qu'une chose en tête: *(description de la mission)*.

Ton épisode doit être écrit à la première personne («je») et au présent.

Au début de ton épisode, le héros doit *(une des deux possibilités de la fin de l'épisode précédent)*.

Dans ton épisode, il doit arriver une aventure intéressante (un seul ennemi, un seul obstacle, un seul problème): cette courte aventure peut être agréable, désagréable, difficile, facile, bizarre, horrifiante, drôle, sentimentale, douce, violente... comme tu veux.

Je souhaiterais que tu ne dépasses pas une page et demie.

Attention: à la fin de ton épisode, le héros doit survivre et encore se retrouver devant un choix de deux possibilités (originales, troublantes).

Tu essaies de finir comme un suspense, de sorte que le lecteur ait envie de lire la suite des aventures de *(nom du héros)*. Ta responsabilité est de maintenir son intérêt tout au long de ton épisode.

Pense à un jeune lecteur de 10 à 12 ans.

Mets-y tout ton cœur et amuse-toi bien!

Ton épisode sera évalué ainsi:

- logique avec ce qui précède: **10 points**;
- clarté et simplicité: **20 points**;
- originalité: **10 points**;
- respect de toutes les présentes consignes: **10 points**;
- texte bien divisé en paragraphes avec alinéas: **10 points**;
- phrases bien construites, variées et bien ponctuées: **10 points**;
- vocabulaire précis et varié: **10 points**;
- orthographe: **20 points**.

Annexe D

(nom de l'élève), voici ta deuxième mission: écrire l'épisode numéro *(numéro de l'épisode)* et me le remettre le *(date)*. Tu me redonneras aussi tous les papiers que je te confie maintenant sous ce trombone.

Lis bien attentivement et enregistre tous les détails des épisodes *(numéros des épisodes précédents dont les photocopies sont jointes)*. Ton épisode doit être une suite logique. Tu ne dois rien contredire de ce qui a déjà été écrit.

Si tu le désires, tu peux faire apparaître de nouveaux éléments dans l'histoire (personnages, animaux, objets, etc.) ou en faire réapparaître d'anciens.

Rappelle-toi toujours que le héros s'appelle *(nom du héros)* et qu'il n'a qu'une chose en tête: *(description de la mission)*.

Ton épisode doit être écrit à la première personne («je») et au présent.

Au début de ton épisode, le héros doit *(une des deux possibilités de la fin de l'épisode précédent).*

Dans ton épisode, il doit arriver une aventure intéressante (un seul ennemi, un seul obstacle, un seul problème): cette courte aventure peut être agréable, désagréable, difficile, facile, bizarre, horrifiante, drôle, sentimentale, douce, violente... comme tu veux.

Je souhaiterais que tu ne dépasses pas une page et demie.

Attention: à la fin de ton épisode, le héros rate sa mission. Tu dois donc le faire mourir ou trouver une finale sous forme d'échec. Tu essaies quand même de finir d'une façon originale, de sorte que le lecteur ait envie de reprendre sa lecture des aventures de *(nom du héros).*

C'est ta responsabilité de maintenir son intérêt durant tout ton épisode.

Pense à un jeune lecteur de 10 à 12 ans.

Mets-y tout ton cœur
et amuse-toi bien!

Ton épisode sera évalué ainsi:

- logique avec ce qui précède: **10 points**;
- clarté et simplicité: **20 points**;
- originalité: **10 points**;
- respect de toutes les présentes consignes: **10 points**;
- texte bien divisé en paragraphes avec alinéas: **10 points**;
- phrases bien construites, variées et bien ponctuées: **10 points**;
- vocabulaire précis et varié: **10 points**;
- orthographe: **20 points**.

Annexe E

Voici ta troisième mission, l'ultime mission, la mission heureuse: écrire la victoire totale et définitive de *(nom du héros)*, c'est-à-dire écrire l'épisode numéro *(numéro de l'épisode final)* et me le remettre le *(date)*.

Lis bien attentivement et enregistre tous les détails des épisodes *(numéros des épisodes précédents dont les photocopies sont jointes)*. Ton épisode doit en être une suite et une fin logiques. Tu ne dois rien contredire de ce qui a été écrit dans ces épisodes-là.

Rappelle-toi toujours que le héros s'appelle *(nom du héros)* et qu'il n'a qu'une chose en tête: *(description de la mission)*. À la fin de cet épisode final, le héros devra avoir totalement réussi sa mission.

Étant donné que c'est l'épisode final, il est intéressant d'y faire apparaître certains personnages ou éléments de l'épisode 1: *(éléments de l'épisode initial)*.

Ton épisode doit être écrit à la première personne («je») et au présent.

Je souhaiterais que tu ne dépasses pas **deux pages**.

Au début de ton épisode, le héros doit *(une des deux possibilités de la fin de l'épisode précédent)*.

Dans ton épisode, il doit arriver une dernière aventure. Le héros est sur le point de réussir sa mission, mais rencontre le dernier ennemi (ou affronte le dernier obstacle) avant la victoire. Ce doit être l'épisode le plus difficile pour lui. Et le plus palpitant pour le lecteur! C'est ta responsabilité de faire monter le suspense à son maximum.

À la fin de ton épisode, la victoire doit être totale pour *(nom du héros)*. L'équilibre et la paix doivent être revenus. Tu essaies de finir d'une façon originale et inattendue, de sorte que le lecteur garde un brillant souvenir des aventures de *(nom du héros)*.

Pense à un jeune lecteur de 10 à 12 ans.

Amuse-toi bien!

Ton épisode final sera évalué ainsi:

- logique avec ce qui précède: **10 points**;
- clarté et simplicité: **20 points**;
- originalité: **10 points**;
- respect de toutes les présentes consignes: **10 points**;
- texte bien divisé en paragraphes avec alinéas: **10 points**;
- phrases bien construites, variées et bien ponctuées: **10 points**;
- vocabulaire précis et varié: **10 points**;
- orthographe: **20 points**.

DANS LA MÊME COLLECTION

Collection Clip

1 LA PREMIÈRE FOIS TOME 1
Collectif

2 LA PREMIÈRE FOIS TOME 2
Collectif

3 SANS QUEUE NI TÊTE
Jacques Pasquet

4 N'AJUSTEZ PAS VOS HALLUCINETTES
Jean-Pierre April

5 LE MARIAGE D'UNE PUCE
Mimi Barthelemy
en collaboration avec Cécile Gagnon

6 L'ESPRIT DE LA LUNE
Jacques Pasquet

7 L'HERBE QUI MURMURE
Cécile Gagnon